レイヤーを明ら

癒し、愛、自己発見の旅

著者 : Rocjane
イラストレーター : Abdullah Munawar

レイヤーを明らかにする

癒し、愛、自己発見の旅

著作権 2024 ロクジャン。無断転載を禁じます。
Rocjane/Splashing Paws, LLC 発行
ISBN : 9798869261021

著者 : Rocjane
イラストレーター : Abdullah Munawar

「あると信じたいの、トミー」と彼女はささやいた。　「実際、私はかつて神秘的な生き物で満たされた魔法の森についての本を読んだことがあります。それについて詳しく教えてもらってもいいですか？」

トミーは興奮して目を大きく見開き、母親の言葉一つ一つに注目していました。彼女が魅惑的な存在たちとその風変わりな冒険の物語を紡ぎ続けるにつれて、彼はこれらの魔法の生き物たちが彼らの人生に幸福の輝きをもたらすことができるのではないかと考えずにはいられませんでした。

新たな決意に突き動かされて、トミーはこれらの神秘的な生き物を見つけて、その魔法を母親の元に届ける探求に乗り出すことにしました。彼は本の中の手がかり、隠れたコーナー、そして彼自身の鮮やかな想像力を精力的に探し求め、昼が夜に変わりました。彼は、彼と同じようにトミーの夢を強く信じていた親友のリリーに助けを求めました。

トミーとリリーは、想像力とほんの少しの希望だけを武器に、絆の強い街を巡る並外れた冒険に出発します。すべての路地、すべての木、すべての遊び場は、明らかにされるのを待つ秘密の宝庫となりました。

街を探索していると、花壇を飛び回り、咲き誇る花びらに秘密をささやきかける魅力的な妖精たちに出会いました。

いたずら好きな妖精たちが街灯柱のてっぺんからいたずらっぽく笑い、小さなノームがバラの茂みの陰から顔をのぞかせていました。夢に見ていた魔法の生き物が本当に現実であることを知ったとき、トミーの心は喜びでいっぱいになりました。

しかし、予想どおり、彼らの魔法のような出会いは、これから待ち受ける困難の始まりにすぎませんでした。町の賑やかな住民たちは、日常生活に追われ、これらの神秘的な存在の存在に気づいていませんでした。自分たちの町に存在する魔法を他の人たちに信じさせるのは、トミーとリリーの役目でした。

懐疑的な視線や疑わしいささやきにもひるむことなく、若いデュオは自分たちが発見した驚異を明らかにするという使命に乗り出しました。彼らは風化した壁に鮮やかな壁画を描き、妖精の羽から落ちた色とりどりの羽で木を飾り、ノームが見つけられるように小さなお菓子を残しました。ゆっくりと、しかし確実に、街は常に彼らを取り囲んでいた魔法に目覚め始めました

彼らの冒険の噂が広まるにつ
れ、親も子供も同様に、目の前に
隠されていた魔法の虜になってし
まいました。そして高まる興奮の
さなか、トミーは母親の顔が新た
に見つけた希望で明るくなるのを
見ました。

サラの病気との戦いは勝利からはほど遠いものの、息子の揺るぎない決意によってもたらされた魔法がサラの気持ちを高揚させ、目に輝きを取り戻させました。毎日、トミーとリリーはサラのベッドサイドに駆けつけ、魔法の生き物との出会いを熱心に語り、サラは彼らの生き生きとした描写を通して彼らの冒険に乗り出すことができました。

そしてその瞬間、トミー、リリー、サラの間で共有された愛と想像力が、痛みや悲しみを超えた絆を生み出しました。彼らは一緒に、周囲の世界と心の奥底に存在する魔法に慰めを見出し、人生の最も過酷な戦いの中でも、愛と想像力が無限の可能性を生み出す可能性があることを思い出させました。

トミーの父ジェームズは、サラの健康状態が急速に悪化するという厳しい現実から息子を守ろうと最善を尽くしていたが、子供たちは生まれつきの直観力を持っており、どんなに献身的な親が自分たちを守ろうとしてもそれを突き破る。トミーは母親の苦しみ、衰えていく力を感じ、それが彼の小さな心を痛めつけました。

ある薄暗い朝、雲が町の上に重く垂れ込めていたとき、ジェームズはトミーを座らせて真実を話しました。余命わずかとなった最愛のサラの死が差し迫っていることを説明すると、二人の目には涙があふれてきました。適切な言葉を見つけるのに苦労したジェームスはトミーを慰め、サラの魂はいつも彼らとともにいて、彼らを見守っていると安心させました。彼はトミーにとって別れを告げることがいかに重要かを強調した。

ニュースの重みが彼らに降りかかったとき、ジェームズはトミーが差し迫った喪失に対処するのを助ける方法を探しました。彼はトミーが自分の感情を率直に表現できるスペースを作り、自分の考えや感情を共有するよう促しました。彼らは何時間もサラのことを思い出し、古い写真を眺めたり、物語を共有したりしながら、笑って泣いて過ごしました。

ジェームスはまた、トミーに思い出の箱を一緒に作るというアイデアを紹介しました。彼らはサラを思い出させる意味のあるアイテムを慎重に選び、美しく装飾された箱に入れました。トミーは、母親の愛と存在をこのように物理的に表現することに安らぎを感じていました。なぜなら、自分には常に何かしがみついていることがわかっていたからです。

ジェームズは、クリエイティブな表現方法が持つ癒しの力を認識し、絵を描いたり書いたりすることで自分の感情を表現するようトミーに勧めました。カラフルな絵からサラに宛てた心のこもった手紙まで、トミーは自分の気持ちを紙に吐き出すことに慰めを感じました。ジェームズはトミーの言葉に注意深く耳を傾け、彼の感情を確認し、彼独自の方法で悲しみを処理できるようにしました。

サラの健康状態は悪化の一途をたどり、ジェームズさんはコミュニティに支援を求めました。彼は、悲しむ子供たちにリソースを提供する地元の組織を発見しました。トミーは、喪失を経験した他の子供たちとのグループセッションに参加し、そこで自分たちの話を共有し、健全な対処メカニズムを学びました。こうしたつながりがトミーの孤独を和らげ、悲しみの旅路において自分は一人ではないことを思い出させた

時間と忍耐、そして周囲の支援ネットワークによって、ジェームズとトミーはサラの記憶に敬意を払いながら、永遠に二人を繋ぐ愛に慰めを見出しながら、喪失というつらい道を一緒に乗り越える方法を見つけた。

覚えておいてください、悲しみは非常に個人的で複雑な経験ですが、健全なはけ口を見つけ、サポートを求め、愛する人の思い出を大切にすることは、私たちが生き続ける強さを見つけるのに役立ちます。

翌日、太陽が窓から恐る恐る光を差し込む中、トミーは母親の部屋に入った。かつては生き生きとした彼女の青い目は、癌が彼女の活力を奪ったため、今では弱々しく遠くに見えました。トミーはおずおずとベッドの端に座り、彼女のか弱い手を小さなグリップで握りました。「ママ」彼はさよならを言う力を見つけようとして、そっとささやきました。

愛情深く洞察力のある母親であるサラは、息子の感情の重さを感じていました。彼女は彼の髪に指をかすり、そっと彼を引き寄せた。「ああ、かわいいトミー」と彼女はつぶやいた。その声は愛と悲しみの両方で満たされていた。「私がどれだけあなたを愛しているか、いつも覚えていてほしいのです。どこにいても、あなたへの愛は決して消えることはありません。」

トミーは彼女の手をぎゅっと握りしめ、出てこない言葉を探していた。彼は恐怖、悲しみ、怒りが入り混じった感情を抱き、なぜ人生がこれほど残酷になるのか理解できませんでした。彼は涙を流しながら、ようやく「ママ、愛しているよ」という言葉を吐き出すことができた。

サラの目は消えゆく炎のちらつきで輝き、弱々しい笑みが顔に浮かんだ。「私の勇敢な子よ」と彼女はささやいた。「ありのままのあなたが愛されていることを忘れず、常に自分自身に忠実でいてください。トミー、君は素晴らしいことをするだろう、それは分かっているよ。」

夜がふけるにつれてサラの呼吸が遅くなり、トミーはサラと一緒にいられる時間が残り短いことを悟った。彼は勇気を振り絞って、高ぶる感情を抑え、愛のこもった別れの言葉をささやきました。「さようなら、ママ。世界で最高のお母さんでいてくれてありがとう。」

しぶしぶ彼女の手を放したとき、彼の声は重く響き渡った。サラはそっと目を閉じ、最後の別れを告げた。トミーは母親の願いを尊重したことを知っていたが、母親を失った悲しみが完全に消えることはないことも理解していたため、安堵と絶望が入り混じった感情を抱いた。

それから数日が経ち、サラの命を讃えるために町中が集まり、トミーは彼らの支援に飲み込まれながらも、奇妙なことに悲しみに暮れていたような気分になった。くすんだ色に身を包んだ人々の中に座っていると、トミーは孤独感を感じずにはいられませんでした。そのとき、彼は父親と一緒に作った思い出の箱のことを思い出しました。静かな瞬間に、彼は部屋からそれを取り出し、慎重に開けました。

中に入ると、家族旅行の写真、ビーチ旅行の貝殻、5歳の誕生日にサラからもらった小さな装身具など、たくさんの大切な思い出がトミーの目に飛び込んできました。トミーがそれぞれのアイテムを手に取ると、箱の中から伸びてくる母親の精神の小さな破片のように、母親の思い出が彼の中に押し寄せてきました。

サラの死はトミーの世界に衝撃を与え、彼は深い喪失感と不信感に取り憑かれました。当初、彼はそのニュースを処理するのに苦労し、彼女の不在という現実を受け入れることができませんでした。まるで今にもこの恐ろしい夢から目覚めてしまうかのように、否定が彼を窒息する霧のように包み込んだ。

圧倒的な悲しみがトミーを蝕み、その深みに溺れそうになった。サラの別れによって残された空白を理解しようとする彼に、悲しみの波が押し寄せ、胸の中に響き渡った。彼の感情の重みは耐え難いものであり、彼は圧倒され、道に迷って漂流したように感じました。

そのような失恋に直面して、トミーは世界から身を引くことに慰めを見出しました。まるで個人的に悲しむためには沈黙と孤独が必要であるかのようだった。彼は参加者ではなく観察者となり、自分の考えの中に引きこもり、他人を締め出しました。

彼は、共有した瞬間を思い出させる思い出や思い出にしがみつき、過去との弱いつながりを求めました。彼は、会話を再現し、二度と聞くことのない笑い声を再現する、彼らの日常的な親しみやすさに安らぎを感じました。

この離脱期間中、トミーは莫大な損失を受け入れるためのスペースと時間が必要でした。

サラの死後、トミーと父親の間のかつて強固だった絆は、共有された悲しみの重みによって亀裂が見え始めました。二人とも自分自身の痛みに迷い、コミュニケーションの試みは行き詰まり、言葉にならない言葉と未解決の感情の海の中に取り残されました。

トミーの父親は、自分自身の悲しみと格闘していて、自分の感情を率直に表現することが難しいと感じていました。彼の悲しみは沈黙の撤退として現れ、彼らの間に溝が広がりました。それぞれのやり取りは緊張したものに感じられ、かつて彼らの関係を特徴づけていた安らぎや暖かさはありませんでした。二人は夜を行き交う船となり、お互いの悲しみが二人を近づけるどころか引き離した。

効果的なコミュニケーションの欠如が障壁となり、トミーと父親の距離はさらに遠ざかってしまいました。自分の気持ちについて話し合おうとしても、挫折したり誤解に終わったりすることがよくあります。痛みを伴う沈黙が空気を満たし、共通の悲しみとお互いに慰めを提供できないことから生まれた爆発的な意見の相違の瞬間が中断されました。

この緊張したダイナミックさの中で、希望の光のように、トミーの人生に協力的な人々が現れました。おそらく、思いやりのある教師が彼の葛藤に気づき、慰めの存在や耳を傾けてくれたり、知恵の言葉を提供したりしたのでしょう。あるいは、賢明な隣人がトミーに打ち明けられる安全な場所を提供し、この困難な時期に指導と励ましを提供してくれたのかもしれません。

これらの支えとなる人々はトミーにとって力の柱となり、父親との緊張した関係によって残された空白の一部を埋めました。彼らは、オープンなコミュニケーションと共感を奨励しながら、悲しみを乗り越え、癒しの方法を見つけるためのガイダンスを提供しました。

彼らの助けにより、トミーは自分の感情を表現し、自分の声を見つけることを学び、慰めと理解を少しずつ見つけました。彼らの存在は、混乱の真っただ中にあっても、気にかけてくれる人々がいること、癒しとより良いコミュニケーションの道に導いてくれる人々がいることを彼に思い出させた。

この暗闇を乗り越える中で、彼は再び立ち直り、より強くなり、サラの記憶を尊重するという決意を強めるのに役立つ一筋の希望を見つけるかもしれません。

トミーと父親がそれぞれの悲しみの道を歩む中で、緊張した関係を修復するのに役立つ許しと理解の瞬間がありました。

そのような瞬間は、雨の日曜日の午後に起こりました。トミーの父親は、自分自身の苦しみを振り返り、自分と息子の間に築いてきた壁に気づきました。彼は、お互いの悲しみが溝を生み出していることを認識していましたが、心からつながりと和解を望んでいたのです。

彼は心のこもった態度で、感情を表現するのに苦労していることや、父親として失敗したのではないかという恐怖をトミーに打ち明けた。お互いの弱さを分かち合うと涙が二人の顔に流れ、彼らを静かに悩ませていた根深い痛みとつながりへの切望が露わになった。

この弱みを握られた行為が、二人の関係のターニングポイントとなった。トミーは父親の心からの後悔の念を見て、心の中で父親を許したいと思いました。彼は、悲しみが二人にさまざまな形で影響を与え、意図せずしてお互いを傷つけてしまったことを理解していました。許しを得ることで、新たな思いやりと共感の感覚が生まれました。

その日以来、トミーと父親は積極的にコミュニケーションを図りました。彼らはお互いのために存在するよう意識的に努力し、悲しみについてオープンで正直に話し合うスペースを作りました。彼らはサラの思い出を共有し、涙を流しながら笑いました。悲しみが押し寄せる瞬間に、彼らは支え合うためにお互いに寄りかかりました。

これらの共有経験と本物の会話を通じて、トミーと父親の間に理解が芽生えました。彼らは、苦しみを抱えているのは自分たちだけではなく、お互いへの愛がどんな嵐も乗り越えられる強力な力であることに気づきました。治癒を目指す彼らの旅は絡み合い、日を追うごとに絆を強めていきました。

許しと理解のこれらの瞬間は、愛と弱さを注意深く縫い合わせた、繊細なキルトのパッチのようなものでした。これらは、たとえとてつもない痛みに直面しても、恵みと理解には最も壊れた関係を修復する力があることを思い出させてくれました。

母親の言葉と、思い出の箱を通して感じたつながりに触発されたトミーは、サラの記憶に敬意を表し、創造性の中に慰めを見つける旅に乗り出しました。彼は絵を描き始め、彼女の目を通して見た世界の美しさを捉えようと決心しました。線、色、形が紙の上で絡み合い、母親から受けた愛とインスピレーションを反映した鮮やかなシーンを生み出しました。

トミーのアートワークは、外見の美しさを捉えただけではありません。それは彼自身の感情と成長を反映したものとなった。彼の絵は、内から放射される回復力と強さを示し、たとえ暗闇に直面しても、愛、喪失、そして前進し続ける勇気の物語を伝えています。

すぐに、トミーの才能の噂は町中に広がりました。人々は芸術を通じて感情を表現する彼の能力に魅了され、彼の絵はギャラリーや展覧会に取り入れられました。トミーは自分の創作を通して、自分の心を癒す方法だけでなく、他の人の人生に影響を与える方法も見つけました。悲しみはまだ残っていたが、彼は目的意識を持ち、芸術の力を通じて母親の精神を生かし続ける方法を発見した。

創造性は、悲しみの時に癒しと自己表現のための強力な力となる可能性があることを忘れないでください。絵を描くこと、書くこと、音楽、その他の芸術表現を通じて、私たちは感情を解放し、慰めを見つけ、他の人とつながることができます。トミーの旅は、たとえ心の痛みに直面しても、美しさは見つかり、最も暗い瞬間から光が現れることがあるということを私たちに教えてくれます。

何か月も経ち、人生は静かに前に進みましたが、トミーは母親の思い出を心の中に持ち続けていました。年月が経つにつれて、その少年は母親の受け入れと愛の言葉を常に忘れずに、立ち直る力のある若者に成長しました。

トミーは、ありのままの彼を受け入れて受け入れてくれる、愛情深く協力的な母親を持つことができて本当に幸運でした。彼女の揺るぎないサポートが、トミーの旅の強力な基盤を築きました。トミーは成長し、社会の偏見や自信喪失という課題に直面するにつれて、母親の受け入れから力を得ました。

6時間目、図書室の隅にほこりをかぶった古い本を見つけたとき、トミーの心臓は高鳴りました。期待に指を震わせながらページをめくると、彼はすべての言葉を吸収し、その意味の重みが魂の奥深くに沈み込んでいきました。それぞれの文は足がかりとして機能し、彼を自分自身のアイデンティティの新たな理解へと導きました。

数日が数週間に変わり、トミーは自己発見の旅をさらに進めていくうちに、嵐のような課題に遭遇しました。

トミーが自己探求の旅に乗り出したとき、感情の渦が彼を飲み込みました。恐怖、混乱、そして新たに見つけた目的意識がすべて彼の心と精神の中で踊り、彼の注意を必要とする感情の複雑なタペストリーを織り上げました。

最初は恐怖がトミーを窒息する布のように包み込んだ。それは疑問と不安をささやき、彼のジェンダー・アイデンティティを探求することが何を意味するのかを疑問視した。未知の世界が広大かつ威圧的に迫っており、彼は今後の道に不安を感じていました。拒絶されることへの恐怖、裁かれることへの恐怖、そして見知らぬものへの恐怖がすべて絡み合い、彼が本当の自分を受け入れることを妨げる恐れがありました。

恐怖の真っ只中に、混乱が複雑な模様を織り交ぜた。トミーの頭の中を豪雨のように疑問が流れました。「私は誰ですか？」トランスジェンダーであるとはどういう意味ですか？これは私の人間関係や世界における私の立場にどのような影響を与えるでしょうか?不確実性が常に付きまとうようになり、彼が知っていると思っていたことと、彼が冒険しようとしていた未知の領域との境界線があいまいになりました。

しかし、恐怖と混乱の深みの中で、トミーは新たな目的意識を発見しました。それは、消えることを拒むちらつく炎です。内省的な瞬間は真実の片鱗を明らかにし、彼の核心に共鳴するひらめきを引き起こしました。彼は本をむさぼり読んで、ジェンダー・アイデンティティの多様な経験を探求する映画や物語に没頭し、同じような道を歩んだ他の人の経験に慰めとインスピレーションを見出しました。

当初、トミーの親友アレックスはトミーのアイデンティティを拒否しました。トミーが初めてアレックスにトランスジェンダーであることを打ち明けたとき、アレックスの反応は混乱と信じられないというものでした。このニュースは彼らの友情の基盤を打ち砕くように見え、アレックスは恐怖、偏見、そして理解の欠如と格闘することになった。

しばらくの間、アレックスがトミーのアイデンティティを受け入れて理解するのに苦労したため、彼らの友情は緊張しました。アレックスはトミーの経験や直面した課題に共感することが難しく、気まずさや緊張した沈黙の瞬間がありました。先入観と社会的誤解がアレックスの視点を曇らせ、友人の真実を完全に受け入れることができませんでした。

しかし、時間が経つにつれて、彼らの間の亀裂はゆっくりと癒され始めました。アレックスがトランスジェンダーの人々とその闘いについてのドキュメンタリーに出会ったとき、共感の種が植えられました。彼は立ち直る力と勇気の物語を見て、トミー自身も経験したに違いない痛みと強さを目の当たりにしました。突然、誤解の壁が崩れ始め、代わりに新たな好奇心と学習意欲が生まれました。

ギャップを埋めようとして、アレックスはトミーに連絡を取り、彼の旅についてもっと理解したいという願望を表明しました。彼らの会話は、純粋な質問と洞察力への純粋な欲求によって促進され、深くて心のこもったものになりました。トミーは自分の経験を辛抱強く共有し、トランスジェンダーのアイデンティティとコミュニティが直面する課題についてアレックスに教えました。

時間が経つにつれて、アレックスが最初に築いた壁は崩れ始め、代わりに共感と理解が深まりました。彼は自分の立場から一歩踏み出して、トミーの現実に進んで没頭することの力を発見しました。そうすることで、アレックスは友人の勇気に対する感謝を深めただけでなく、人間の経験の広大な範囲についてより広い視野を養うことができました。

最初は拒絶されても、成長と変化は可能です。これは、教育、共感、寛容さによって人々が進化し、かつて無知が支配していた場所に思いやりと理解を育むことができることを示しています。

トミーの幼馴染であるリリーは、彼の自己発見と成長の旅において重要な役割を果たしました。リリーと再会した後、彼らはお互いをサポートする重要な柱となり、経験を共有し、人生の課題を一緒に乗り越えました。

二人の絆が深まるにつれて、リリーもまた、自己受容と個人的な成長への道を発見しました。トミーの勇気に触発されて、彼女は自分のアイデンティティを理解し受け入れる旅に乗り出し、最終的にはクィアであることをカミングアウトしました。

トミーとリリーはそれぞれの旅を通して、お互いをサポートし続け、勝利や挫折、そして途中で学んだ教訓を共有しました。彼らはお互いの強さと受容の光となり、揺るぎないサポートと理解を提供しました。

その後数年間、リリーとトミーは親密な友情を保ちながら、本当の自分を探求し受け入れ続けました。彼らは同盟者であり続け、平等と受容を主張し、差別と偏見との戦いで肩を並べた。

多様なロールモデルが現れ、トミーを自己発見の迷路へと導きました。それらは力の灯となり、彼を待ち受ける無数の可能性を体現した。彼らの物語と立ち直る力は彼の心の奥底にある何かを揺さぶり、受容、自己愛、そして誠実さの炎に火をつけました。

啓示を得るたびに、恐怖はゆっくりと勇気に変わり、混乱は明晰さへと溶け、トミーの心の中で目的が開花しました。得た知識と他の人の経験によって力づけられ、彼は本当の自分、つまり自分がなる運命にあった自分を受け入れ始めました。

トミーの自己表現の旅には、障害や差別との遭遇がなかったわけではありません。

学校では、自分のアイデンティティを理解しないか、受け入れようとしない友達に直面しました。廊下では、ささやき声や横目で視線が彼を追いかけ、部外者のように感じながら高校の迷路を進んでいた。クラスメートの中には、彼の性自認を疑問視したり、軽蔑的な中傷をしたりして、傷つけるコメントをした人もいました。廊下には彼の精神を引き裂くことを目的とした軽蔑的な中傷が響いた。しかし、トミーは嵐の中でも立ち直る灯火のように、決意を持ち続けた。無知によって自分を定義されることを拒否し、あらゆる侮辱に正面から向き合ったとき、彼の鼓動は耳の中で高鳴っていた。これらの瞬間はトミーの自信を削り取り、孤立感を感じさせました。

トミーにとっていじめは繰り返しの課題となった。彼は、仲間たちが彼のアイデンティティを傷つけようとする嘲笑や中傷に耐えた。彼らは疑いを植え付け、彼に自分の自意識に疑問を抱かせることを目的としていました。時には、噂やゴシップを広めて、彼の評判を傷つけようとしたこともありました。これらの残虐な行為はトミーの回復力を試しましたが、彼はそれらの残虐な行為に自分を定義させることを拒否しました。

教室でのジェンダーやセクシュアリティに関する議論は、不快感、無知、無感覚をもたらすことがよくありました。トミーは、トランスジェンダーの経験の複雑さを辛抱強く説明し、固定観念を打ち破り、先入観に挑戦しながら、常に他の人を教育していることに気づきました。こういった擁護の瞬間は疲れるもので、時にはフラストレーションを感じ、聞いてもらえないと感じることもありました。

これらの困難に直面する一方で、トミーは予期せぬ協力者にも出会いました。彼の強さと誠実さを見て、何人かのクラスメートが彼の側に立ち、支援を申し出て、彼が直面した差別に対して立ち上がった。それらはトミーにとって力の柱となり、旅は一人ではないことを思い出させてくれました。

そのすべてを通して、トミーは立ち直る力を証明し、勇気を持って逆境に立ち向かいました。彼を理解も受け入れもしない人々との出会いは、より包括的な社会を築くための彼の足がかりとなった。それぞれのハードルは成長の機会を提供し、共感と受容の重要性についての意識を高めました。

荒れ狂う逆境の海のさなか、トミーは絆の深い友人たちと過ごすことに安らぎを見出しました。彼らの受け入れは温かい抱擁のように輝き、彼の精神を元気づけた。彼らは笑いと喜びの瞬間を共有し、理解と愛に満ちたささやき会話を通じて絆を深めました。

リリーは、彼女自身の個人的な旅によって力を得て、他の人たちへのインスピレーションの源にもなり、認識を再形成し、社会規範に挑戦しました。彼女は自分の声と経験を利用して理解を促進し、より包括的なコミュニティを促進し、あらゆる背景やアイデンティティを持つ個人が成長できるスペースを作り出しました。

二人の人生はそれぞれ異なった道を歩んできましたが、トミーとリリーの絆は今でも切れることはありません。彼らはお互いをサポートし、高め合い、お互いの勝利を祝い、逆境の時には揺るぎないサポートを提供し続けています。

彼らの友情は、自分の本当のアイデンティティを受け入れ、成長し、強さを見つける力の証として機能します。愛、立ち直り、そして世界をより良い場所にするという共通の決意によって結ばれたトミーとリリーは、生涯の同盟者であり友人であり、変革の旅を通して永遠に結ばれています。

トミーは新たに得た自信に支えられて、揺るぎない声で学校コミュニティの前に立った。彼が話す言葉一つ一つが変化の火花を散らすかのように見え、意識の波紋が部屋中に広がりました。その後に続いた拍手が彼の耳に響き渡り、支持と承認の響き渡る交響曲となった。

トミーの旅は、彼の個人的な成長だけでなく、共感と理解を育むものでもありました。彼はクラスメート、教師、スタッフと一つ一つ啓発的な会話を交わし、障壁を打ち破り、橋を架けました。

トミーは最終的にトランスジェンダーの権利の擁護者となり、同様の課題に直面する他の人々に支援と指導を提供しました。彼は自分の痛みを、彼のような個人が話を聞いてもらえると感じることができるスペースを作り出すことに注ぎました。

トランスジェンダーの権利擁護活動の中で、トミーはさまざまな課題に直面しました。彼は、トランスジェンダーのアイデンティティを理解できない、または受け入れられない人々からの抵抗に遭遇しました。しかし、彼は回復力と決意をもってこれらの課題に取り組み、共感と対話を通じて理解を教育し促進しようと努めました。

トミーは、トランスジェンダーの個人とその支持者が集まり、経験を共有し、安全で包括的な環境で慰めを見つけることができるサポートグループや地域コミュニティのイベントを組織することで、受け入れとサポートのためのスペースを作りました。また、学校、団体、政策立案者と緊密に連携してトランスジェンダーの包括性を促進し、トランスジェンダーの権利を尊重し保護する政策やリソースの導入を主張しました。

トミーは、権利擁護活動を通じて、障壁を打ち破り、誤解に異議を唱え、すべてのトランスジェンダーの個人にとってより包括的な社会を構築することを目指しました。

　トミーの権利擁護活動は、差別と無知の闇を切り開く光のようなものでした。彼は一歩を踏み出すたびに、トランスジェンダーの人々が正当に生きること、そして判断から自由になることを妨げる障壁を打ち破ることを目指しました。

トミーは、その絶え間ない決意を通じて、オープンで正直な対話を開始することで誤解に挑戦しました。彼はクラスメート、教師、学校職員との会話に熱心に取り組み、彼らの質問に辛抱強く答え、個人的な経験を共有しました。トミーは、自分自身の旅を人間味あふれるものにすることで、俗説を払拭し、トランスジェンダーの現実に光を当て、無知の壁をそっと打ち破りました。

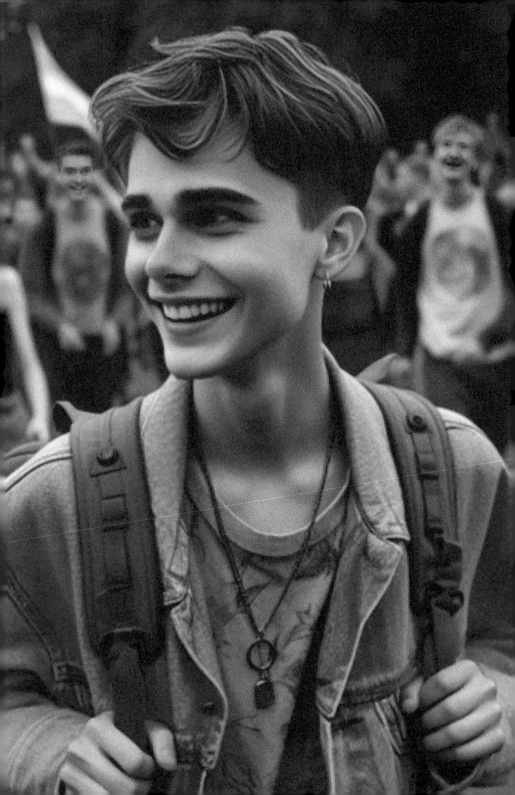

トミーの権利擁護へのアプローチは対立的なものではありませんでした。その代わりに、彼は共感と理解を育むことに重点を置きました。彼はワークショップや意識向上キャンペーンを企画し、トランスジェンダー コミュニティからゲスト スピーカーを招き、彼らの話を共有してもらいました。イベントごとに、彼は議論と成長のための安全なスペースを作り、たとえ一瞬であってもトランスジェンダーの立場で歩むよう他の人たちを招待することを目指しました。

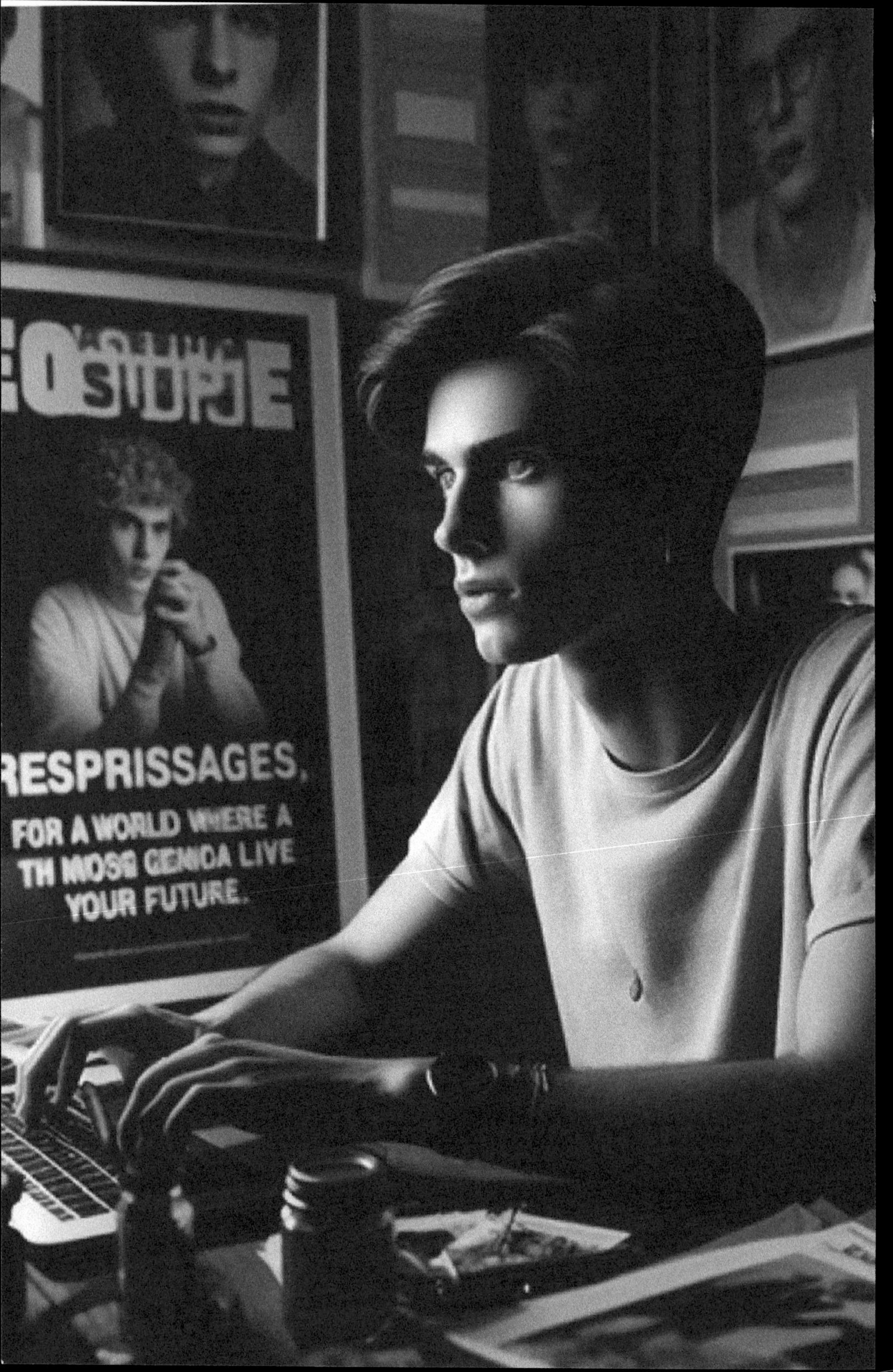

あらゆるやり取りで、トミーは変化の種を植え、思いやりと忍耐力でそれに水を与えていました。彼は、より包括的な社会を築くには集団的な行動が必要であることを理解しており、他の人たちにもその旅に参加するよう勧めました。

結局のところ、トミーの権利擁護活動は自分自身の利益だけを目的としたものではなく、すべてのトランスジェンダーの個人が判断や差別を恐れることなく真に生きられる世界を作り出すことを目的としたものでした。彼が達成した小さな勝利のひとつひとつが、より明るく、より理解のある未来への道を切り開きました。

彼の旅は、愛の力、受容、そして一人の人の擁護が変革をもたらす影響力の証です。

嵐の雲が頭上に迫ってきた最も暗い瞬間に、彼は母親の不屈の精神に慰めを見出しました。サラの遺産は彼の中に生き続け、強さと決意として現れました。

トミーは母親の死を毎日抱えていたが、本当に別れを告げ、自分では考えられなかったやり方で母親に敬意を表してくれたと知り、慰めを得た。そして、自分の道を歩み続けるにつれて、彼はサラの揺るぎない愛の本質を受け入れ、彼女の思い出を彼を前に導く光の灯に変えました。

トミーの自己発見と成長の個人的な旅は、本当に変革的なものでした。トランスジェンダーとしての自分のアイデンティティを受け入れ、受け入れるという課題を乗り越える中で、彼は自分自身に忠実である勇気を見つけただけでなく、後に強力な公開フォーラムで共有する貴重な教訓も学びました。

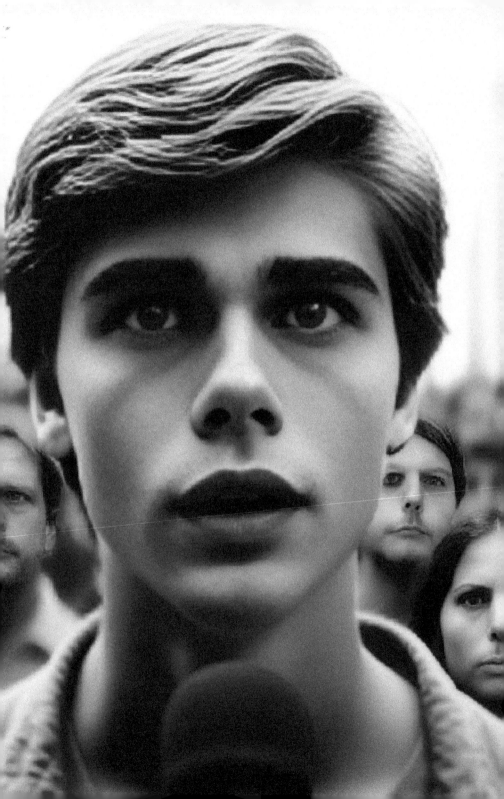

あらゆる立場の人々の前に立って、トミーはありのままの傷つきやすさと真実味を持った自分の話を共有しました。彼は、自分が経験した疑い、恐怖、自己受容に向けた旅について打ち明けました。彼の言葉を通して、彼は希望を呼び起こし、他の人たちに誇りを持って自分のアイデンティティを受け入れるよう促しました。

トミーのメッセージは明確でした。「個性は恐れられるものではなく、称賛されるべきものである」ということです。彼はすべての人に、自分自身の内側を見つめ、自分のユニークな特質を受け入れ、人々を正常の狭い定義に押し込めようとする社会の圧力を拒否するよう奨励しました。

受容と愛が与える大きな影響を認識したトミーは、聴衆に対し、自分とは違うかもしれない人々に対して心を開くよう促した。同氏は、単なる同盟者としてではなく、差別や偏見との戦いの積極的な参加者として、平等と受け入れのために立ち上がることの重要性を強調した。

トミーは聴衆に力を与える心のこもったメッセージを残しました。彼は、各人には変化をもたらす力があり、それは自分自身のアイデンティティを受け入れ、同じ受け入れと理解を他の人にも広げることから始まることを思い出させました。

トミーは彼の物語によって変化の主体となり、人々に誠実に自分の道を歩むよう促し、受け入れと愛が行き渡る社会を育むよう促しました。彼の旅は、私たち全員が本当の自分になる勇気を見つけ、多様性が称賛され、平等が標準となる世界を築くよう勇気づけてくれます。

トミーの旅は、私たち一人ひとり
の中にある愛の力と不屈の精神の
感動的な証しとなっています。ト
ランスジェンダーとして直面した
困難にも関わらず、トミーは社会
の期待によって自分が定義された
り制限されたりすることを決して
許しませんでした。代わりに、彼
は自分の本当のアイデンティティ
を受け入れ、母親から受けた揺る
ぎない愛と受け入れに慰めを見出
しました。

トミーは自身の経験を通じて、愛には障壁を超え、変化を引き起こす力があることを実証しました。彼は自分の痛みと課題を権利擁護の糧に変え、トランスジェンダーの権利と受け入れのために戦うことに人生を捧げました。トミーの回復力と決意は、同様の闘いに直面している他の人たちにとって希望の光となり、自分の真実に堂々と立ち、コミュニティで支援を求めるよう勇気づけました。

結局のところ、トミーの旅は、私たち一人一人の中に、愛、受容、そして立ち直る力に対する並外れた能力があることを思い出させます。これは、私たちには変化を生み出し、社会規範に挑戦し、より包括的で思いやりのある世界を築く力があることを思い出させてくれます。トミーの物語は、愛の力を大切にし、本当の自分を受け入れ、自己発見と受容の旅路で他の人を勇気づけるインスピレーションを与えてくれます。

著者略歴

ロック・ジェーン – 人生のまだ見ぬ宝石を讃える 洞察力に富んだ言葉遣いであり、人生の複雑な瞬間を情熱的に観察するロック・ジェーンは、物語の魅惑的な丘に囲まれた絵のように美しい小さな町の出身です。子供の頃、ロック・ジェーンは飽くなき好奇心を育み、むさぼり読んだ本のページに慰めとインスピレーションを見出しました。彼女が言葉の世界に避難し、想像力と共感の力を受け入れたのは、彼女の形成期でした。日常の経験の美しさを発見する天性の能力を持つロック・ジェーンの文章は読者を魅了し、感情が揺れ動く領域へと読者を導きます。彼女の言葉は、最も平凡な状況に命を吹き込み、私たちの存在の表面下で囁かれる非凡な物語を明らかにします。真実性と交差する現実を捉えたいという情熱に導かれ、ロック ジェーンの文学作品は、多くの場合、多様な個人とその個人的な旅の賛美を中心にしています。彼女は傷つきやすさと強さの間の微妙なバランスを繊細に探求し、人間の精神の回復力と優雅さを照らし出します。ロック・ジェーンは、充実した人生の典型を垣間見ることができます。彼女の満足感を反映する輝くような笑顔を持つロック ジェーンは、自己受容と恥ずかしがることのない喜びの力を表しています。ロック・ジェーンは、丁寧に作られた散文を通して、前向きな変革と人生の幸せな場所を受け入れることの本質を捉えた物語を織り上げています。ロック・ジェーンは日常の中に慰めを見出し続けており、読者は彼女が発見した美しさを分かち合い、最も単純な瞬間に非日常が形づくられる文学の旅に乗り出すよう誘われています。

この魅力的な回想録では、悲しみ、アイデンティティ、受容の複雑な層を乗り越えながら、自己発見の力強い旅に乗り出すトミーを追ってください。悲劇に見舞われたとき、トミーは深い喪失感と向き合い、自分自身のアイデンティティの真実を明らかにし、別居していた父親と和解したいという執拗な探求に火をつける。

トミーは、悲しみの痛ましい探求を始めて、癒しが非常に個人的なプロセスであることに気づきます。旅の途中で、彼は心の痛みと希望の間の溝を埋める予期せぬ許しと理解の瞬間を発見します。トランスジェンダーとしての自分自身のアイデンティティの複雑さを解き明かしていく中で、トミーの勇気と立ち直りの強さが輝き、読者に揺るぎない信憑性を持って本当の自分を受け入れるよう促します。

トミーは、傷つきやすい瞬間を通して、学んだ教訓を心のこもったタペストリーとして織り上げます。思いやりや共感の力から、個性を受け入れる強さまで、この回想録は、自己受容の変革的な性質を力づける証しです。

「Unveiling the Layers」は、逆境を乗り越える勝利の物語であり、社会変革への呼びかけであり、私たちは皆、表面下では信じられないほどの回復力と無条件に愛し合い、お互いを受け入れる能力を持っていることを思い出させてくれます。この深遠な回想録を深く掘り下げて自己発見の旅に乗り出し、自分自身の真実を受け入れ、世界の平等と受け入れのために戦う力を与えてください。

9 798869 261021